KB075702

City of the Vampires
밤파이어들의 도시
함가온해 단편소설집

과거는 사라지지 않는다. 현재는 과거의 진행이다. 우리들 모두는 과거에서 벗어나지 못한 채 살아간다. 과거 속에서 고통받고, 과거 속에서 행복을 얻는다.

누군가는 생각한다. 삶의 의미는 무엇인가? 나의 존재 이유는 무엇인가?
그는 결코 답을 얻지 못한다.

죄악들의 상상

발 행 | 2024년 5월 21일
저 자 | 함가온해
펴낸이 | 한건희
펴낸곳 | 주식회사 부크크
출판사등록 | 2014.07.15.(제2014-16호)
주 소 | 서울특별시 금천구 가산디지털1로 119 SK트윈타워 A동 305호
전 화 | 1670-8316
이메일 | info@bookk.co.kr

ISBN | 979-11-410-8616-9

www.bookk.co.kr

뱀파이어는 특이한 생명체이다. 생명체라면 누구든 죽는 다는 이치를 거스르며 영원히 살 수 있고 강한 힘과 뛰어난 지능을 가졌다. 뱀파이어들은 인간 위에 존재했다. 그리고 자신들의 비밀스러운 삶을 이어갔고 세상에 대해 끊임없이 탐구했다.

하지만 뱀파이어들은 300살쯤 살게 되면 스스로 죽음을 선택했다. 뱀파이어들은 상상을 초월하는 회복 능력을 가지고 있었기 때문에 보통의 방식으로는 죽음을 맞이할 수 없었다. 그들은 태양 아래에서 죽음을 맞이했다.

어느 날, 로렌조라는 이름의 뱀파이어가 인간들 수백명을 뱀파이어로 만들었다. 로렌조는 수백 명의 뱀파이어들을 부하로 두고, 다른 뱀파이어들과 전쟁을 벌였다. 결국에는 로렌조의 승리였다. 소수의 뱀파이어들은 다수의 뱀파이어 무리에게 처절한 패배를 겪었다.

뱀파이어들은 로렌조 밑에서 새로운 규칙을 따랐다. 그 규칙은 다음과 같다.

뱀파이어들의 규칙

1. 로렌조에게 충설할 것
2. 다른 뱀파이어들의 말에 현혹되어 로렌조를 배반하는 행위를 하지 아니할 것
3. 로렌조의 말을 함부로 사칭하여 자신에게 유리하게 사용하지 아니할 것
4. 인간의 피를 마실 때는 다시는 살아나지 못하도록 확실히 처리할 것
5. 자신을 만든 뱀파이어를 존경할 것
6. 다른 뱀파이어를 살해하지 아니할 것
7. 인간 이성에게 마음을 주지 아니할 것
8. 다른 뱀파이어의 소유물을 힘으로 빼앗지 아니할 것
9. 거짓말로 다른 뱀파이어의 위신을 깍아내리지 아니할 것
10. 다른 뱀파이어가 선택한 희생물을 가로채지 아니할 것

복잡한 내용의 규칙이었다. 이제 뱀파이어들은 하나의 사회를 이루게 되었다. 전에는 뱀파이어끼리 마주칠 일이 드물었지만 이제는 뱀파이어들은 서로의 영역 속에서 서로를 거스리는 일을 하지 않고 살아가게 되었다. 그리고 동시에 매일 밤 수백 명의 인간들이 뱀파이어들의 희생물로 전락해 죽어나가기 시작했다.

결국에는 인간들은 뱀파이어의 존재를 알게 되었다. 신화 또는 전설, 문학작품, 영화 같은 곳에서 등장하는 허구의 존재는 실존했다. 인간들의 사회는 뒤집혔다. 로렌조는 '나약한 인간들을 대신하여 신에 가까운 자신들'이 세상을 지배하는 것이 옳은 일이라고 말하며 지구상에 있는 모든 인간들을 살해하고, 다시 뱀파이어로 태어나게 하라고 명령을 내렸다.

그 결과 하루 아침에 지구는 뱀파이어들로 가득 찼다. 결국 지구에서 인간들의 문명은 완전히 사라지고 뱀파이어들은 새로운 주인이 되었다. 이것은 약 백 년 전에 일어난 일이다. 뱀파이어들은 지구에서 태양이 가장 적게 뜨는 지역으로 몰렸다. 그리고 그들은 모든 것을 누리기 시작했다. 그리고 뱀파이어들은 자신들의 도시를 '뱀파이어들의 도시'라고 불렀다. 도시 밖에는 인간들이 남긴 모든 것들이 서서히 사라지고 있었다. 인간들이 쫓아냈던 동물들은 다시 돌아왔고 콘크리트도 덮였던 땅에는 식물들이 자라났다.

뱀파이어들의 도시는 이제 유일하게 지구에 존재하는 문명이었다. 도시에 사는 뱀파이어들은 인간처럼 살아가기 시작했다. 식사 문제는 인공혈액을 개발한 '닥터 로베'로 인해 해결되었다.

뱀파이어들은 돈을 벌고 집을 사고 자동차를 사고 마치 인간처럼 행동했다. 뱀파이어들은 도시 밖으로 나가고 싶어 하지 않았다. 도시가 곧 세상이었다. 뱀파이어들은 일을 하고 돈을 벌고 명예를 얻으며 사회적으로 인정받고 싶어했다. 그들은 자신들의 삶을 방해하는 자들을 원하지 않았다. 도시에는 불량품들이 있었다.

그런 불량 품들은 살인, 방화, 폭행 등의 범죄를 저질렀다. 이들은 도시의 경찰관들에 의해 서서히 제거되어 갔다.

- 도시의 어느 외곽지역

태양이 뜨기 시작했으나 아직 하늘에는 달과 별들이 희미하게 보였다. 한 소녀가 경찰관들 앞에 거리를 유지한 채 서 있었다. 아이는 당황한 듯 보였다. 너무 많이 당황해서 어떻게 해야 할지 모르는 듯했다. 소녀는 청색의 망토를 입고 있었고 신비스러운 느낌이 들었다. 주위에는 폭력적인 싸움의 흔적을 알려주는 시체들이 뒹굴고 있었다. 시체들은 트럭에 옮겨지고 있었고 죽지 않은 자들은 피투성이가 된 채 수갑에 채워져 있었다. 그들 중 마르고 섬뜩한 눈을 가진 남자는 계속 소리를 지르고 있었다. 그리고 그런 그를 향해 한 경찰관이 곤봉으로 머리를 가격하며 조용히 하라고 말했다.

“너희들은 가만히 두지 않겠어!”
그자는 계속 소리를 질렀다. 그는 몇 차례 더 곤봉으로 머리를 얻어맞았다. 그의 이름은 ‘욜란’이다. ‘블랙’이라는 이름의 조직을 이끌고 있었다. 그는 항상 도시를 위협하는 골칫덩어리였고, 그는 이제 초라하게 두 손에 수갑이 채워진 채로 경찰관에게 굴욕을 당하고 있다.

그의 은신처인 이곳은 경찰관들이 사진을 찍어대고 있었다. 그는 당장이라고 이곳에 있는 경찰관들을 찢어버리고 싶었다. 하지만 속목에 채워진 수갑은 팔을 움직이는 것조차 불가능하게 만들었다. 욜란은 소리를 지르는 것만 할 수 있었다.

경찰관들은 소녀의 처분을 고민했다. 어린 소녀의 모습은 너무 연약해서 아무도 수갑을 채울 생각을 하지 않았다. 그들은 소녀를 어떻게 처리해야 할지 의논했다. 어쨌거나 소녀 또한 뱀파이어다. 열두 살의 모습으로 보이는 나약한 소녀였지만 그럼에도 그녀는 최소 백년은

살은 뱀파이어일 것이다.

"그냥 나두자. 어차피 저런 육체로는 도시에 위협이 되지 않을 거야" 한 경찰관이 말했다. 그리고 모두들 고개를 끄덕이며 욜란과 그의 패거리를 끌고 갔다. 결국 소녀 혼자 남았다.

소녀는 허전함을 느꼈다. 허전함이 더욱 배를 고프게 만들었다. 인간과 함께 살던 시절이 그리웠다. 그때는 지금보다 훨씬 더 자유롭게 살 수 있었다. 지금처럼 각종 규제니 감시니 하는 것 따위는 뱀파이어들에게 상관없던 이야기였다.

소녀는 도시를 향해 걸어갔다. 오늘 밤은 모든 것을 잃은 날이다. 이제는 더 이상 친구도 없다. 철저히 혼자가 되었다. 어두운 밤하늘에 떠 있는 달만이 평생 자신을 따라다녔고, 앞으로도 그럴 것이다. 길을 가던 도중 한 남자가 보였다. 그는 매우 아름다웠다. 일반적으로 뱀파이어들은 아름답고 튼튼한 육체를 가지고 있지만 그는 더 강하고 아름다워 보였다.

"안녕하세요."
소녀는 그에게 말을 걸었다.
"누구시죠?"
"저는 수진이에요."
"동양인 출신이군요?"
"맞아요."
'수진'은 그에게 시간이 있냐고 물었다. 그는 그렇다고 했다. 수진은 그에게 자신과 시간을 보내자고 말을 했다. 그는 기대감에 찬 눈빛으로 수진을 쳐다보았다.

"당신의 이름은 무엇이죠?"
수진이 물었다.
"저는 샘 클랜톤 입니다."
"영국 출신인가요?"
"맞아요."
그는 웃으며 대답했다. 수진은 그 순간 자신의 눈 앞에 있는 아름다운 육체의 뱀파이어에게 안겼다. 그리고 수진은 그의 목을 깨물었다. 그리고 그의 피를 마셨다. 수진은 그자의 눈빛에서 자비를 원하는 것을 볼 수 있었다. 수진은 그러한 눈빛을 즐겼다.

그의 피를 완전히 마셨을 때 수진의 눈 앞에 있는 것은 더 이상 아름다운 뱀파이어가 아니었다. 말라서 비틀어진 가죽이었다. 더는 움직이지 못하고 추한 상태인 가죽일 뿐이다. 이제는 더 이상 그에게서 아름다움을 느낄 수 없었다.

대부분 인간의 피는 드문 경우를 제외하고는 갈증만을 채워준다. 하지만 뱀파이어의 피는 이를 마신 뱀파이어를 더욱 강하게 만들어준다.

오래 전에는 인간을 사냥했다. 이제는 더 이상 사냥할 인간이 없다. 그렇기에 수진은 욜란과 함께 뱀파이어들을 사냥했다. 뱀파이어는 인간보다 훨씬 더 까다로운 사냥감이다. 훨씬 강하고 영리하다. 그런 뱀파이어들을 사냥하는 것은 인간을 사냥할 때보다 더 큰 쾌락을 주었다.

하늘에 뜬 별과 달이 수진을 계속 비추고 있었다. 수진은 계속 도시를 향해 걸었다. 도시를 향해 걷다보니 뱀파이어들의 도시의 유흥지역인 '라우비 거리'에 도착했다. 수진은 그곳에서 오락실로 향했다.

오락실 안에는 많은 뱀파이어들이 있었다. 시끌벅적했다. 어느 게임기가 수진의 마음을 끌었다. 수진은 그 게임이 앞으로 다가가서 앉았다. 그리고 주머니 속을 뒤져보았다. 돈이 하나도 없었다. 그래서 무작정 게임이 화면만을 바라보았다.

“저기요.”
한 남자가 수진에게 다가와서 말했다.
“돈이 없어요? 자. 여기 받아요.”
그는 돈을 내밀었다. 수진은 돈을 쳐다보았다. 게임을 오백 번은 할 수 있을 만큼의 많은 돈이었다. 수진은 아무런 말을 하지 않고 그에게서 돈을 받았다. 그리고 자리에서 일어나서 동전 교환기로 가서 그가 준 지폐를 모두 동전으로 바꿨다. 수진은 게임기로 돌아와서 동전을 넣고 게임을 시작했다.

비행기를 운전하며, 비행기를 공격하는 적들을 공격하는 게임이다. 난이도가 상당히 어려웠다. 일분도 지나지 않아 수진의 비행기는 추락했다. 수진은 한숨을 쉬었다. 인간들이 지구의 주인이었을 때 만들어진 게임기들은 모두 쉬었다. 몇 시간이고 게임을 할 수 있었다. 이제 뱀파이어들이 만든 게임기는 너무 어려웠다. 수진은 다시 동전을 집어넣고 게임을 했다. 그래도 뱀파이어들이 만든 게임기가 훨씬 재미있기는 했다. 훨씬 현실적이며 더 머리를 굴러야 했다.

몇 차례 더 게임에서 비행기가 추락하자 더 이상 수진은 게임에 흥미를 느끼지 못했다. 수진은 의자에서 일어났다. 그리고 오락실 밖으로 나갔다. 수진은 다시 길을 걸었다. 어디로 가야할지 몰랐다.

뒤에서 누군가가 수진을 따라왔다. 아까 수진에게 돈을 주었던 남자였다. 그는 수진에게 다가와서 말했다.

"지금 시간이 있나요?"

수진은 고개를 끄덕였다.
"이름이 뭐에요?"
그가 물었다.
"제 이름은 수진이에요."
"아! 예쁜 이름이네요. 동양적인 느낌이 듭니다. 특이하고요. 저는 에릭이라고 합니다. 저는 프랑스에서 태어났어요."
에릭은 그렇게 말하며 수진의 손을 잡았다. 그리고 술집에 가자고 했다. 수진은 고개를 끄덕였다. 에릭이 앞장서서 걸었다. 시끄러운 거리속을 걸으며 많은 뱀파이어들이 보였다. 에릭은 어느 비싸 보이는 술집에 들어갔다. 수진은 그의 뒤를 따라 걸으며 술집을 구경했다. 정신 나간 화려함이었다. 술집의 벽은 금으로 만들어져있었다.

"엄청난 돈이 들었겠네."
수진은 작게 중얼거렸다.

에릭과 수진의 앞에 여자 뱀파이어가 다가왔다.
"몇 분이서 오셨어요?"
"저희 두명입니다."
에릭이 여자 뱀파이어에게 말했다. 여자 뱀파이어는 자신을 따라오라고 했다. 그녀를 따라가자 금으로 만들어진 문이 보였다. 그녀는 그 문을 열어주었고 안에는 금으로 만든 의자와 테이블이 있었다. 에릭과 수진은 자리에 앉았다. 에릭은 메뉴판을 잠시 보더니 말했다.

"가장 독한 술과 인공혈액을 주세요."
여자 뱀파이어는 알겠다고 하고 방을 나갔다. 곧 여자 뱀파이어는 큰

쟁반에 술과 컵, 그리고 인공 혈액을 가지고 왔다. 그녀는 테이블 위에 올려놓기 시작했다. 수진은 인공 혈액을 먼저 집었다. 갈증이 사라졌다. 그리고 술을 컵에 따라 마셨다. 매우 독한 술이었고 약간의 혈액이 섞여있었다.

수진은 곧 자신이 취했다는 것을 느꼈다. 어지러웠다. 그리고 이 느낌이 좋았다. 수진은 계속 인공혈액과 술을 번갈아마셨다.

"나는 변호사야."
에릭이 말했다. 에릭은 자랑을 하고 싶어하는 것처럼 보였다. 그리고 새로 구매한 비싼 자동차에 대해 말하기 시작했다. 그런 이야기는 수진에게 전혀 재미있게 느껴지지 않았다. 수진은 계속 그의 말에 대강 대답을 하며 술을 마셨다. 그러다가 수진은 더 이상 몸이 움직이기 힘든 것을 느꼈다. 너무 많은 알코올을 마신 탓이었다. 수진은 에릭에게 말했다.
"너무 피곤해. 너희 집에 가서 자도 될까?"
에릭은 고개를 끄덕였다. 에릭은 그의 손목에 있는 시계가 오전 5시를 향해 가고 있는 것을 보았다.
"곧 태양이 뜰거야. 이곳에서 머물던지 내 집에 가던지 해야해."
"너희 집에 가고 싶어. 에릭."
수진이 말했다.

수진은 에릭의 도움을 받아서 걸었다. 몸이 제대로 움직여지지 않았다. 온 몸이 마비된 것 같았다. 길에는 뱀파이어들이 별로 보이지 않았다. 뱀파이어들이 두려운 태양을 피해 집으로 돌아간 것이다. 에릭의 차는 술집 근처에 있었다. 그의 말대로 차는 매우 비싸보였다. 수진은 에릭의 도움을 받아 간신히 조수석에 앉았고 에릭은 운전석으로 와서 시동을 걸었다.

라우비 거리에서 나온 후 도로에는 많은 차들이 끊임없이 다니고 있었다. 인간들이 지구를 지배했던 그 때의 도로와는 많이 달랐다. 훨씬 복잡했다. 그리고 발달된 도로 시설 덕분에 차들은 전혀 밀리지 않았다. 서서히 태양이 뜨려고 했다. 달은 사라졌고, 하늘은 회색이었다.

수진은 두려움을 느꼈다. 그렇지만 수진은 일종의 쾌감을 느꼈다. 죽음이라는 것이 느껴지는 것만 같았다. 수진은 결국 에릭의 집에 도착했다. 에릭의 집에 들어가자 심장 모양의 붉은 석상이 보였다. 수진은 석상을 계속 쳐다보았다.

"이거 살아있는 심장 맞지?"
수진은 결국 알아채고 에릭에게 물었다.
"응. 자신의 심장을 파는 뱀파이어들이 있어. 어차피 다시 재생이 되니깐. 그들의 심장이 떼어내진 다음에는 특수한 작업을 걸쳐서 석상으로 만들어."
"너무 아름다워. 심장이 돌 안에서 뛰는 것이 보여."
에릭은 웃었다. 그리고 그는 자신이 뱀파이어의 심장으로 만들어진 장식품을 살 수 있을만큼 돈을 번다는 사실에 자부심을 느꼈다.

에릭의 집은 매우 넓었다. 이색적인 모양의 식물들이 거실에 장식되어 있었다. 거대한 꽃도 있었다. 유전자 조작을 한 장미였다. 수진은 집 안을 천천히 구경했다. 에릭은 수진이 자신의 집에 흥미를 느낀다는 것에 만족감을 느꼈다.

수진은 거실에 있는 티비를 보았다.
<블랙이라고 자칭하는 뱀파이어 무리들의 악행과 범행이 끝을 맞이

했습니다. 도시를 위협하던 무리들은 모두 체포되었습니다. 그들은 오늘 최후를 맞이할 것입니다.>

뉴스 채널의 아나운서가 설명을 하고 있었다. 십자가에 박혀 있는 동료들의 모습이 보였다. 그들은 도시의 중심부에서 나무로 만들어진 십자가에 쇠사슬로 묶여 있었고 손에는 못인 박혀 있었다. 그들은 고통을 느끼며 소리를 지르고 발악을 했다. 욜란의 모습도 보였다. 그는 아무런 말 없이 가만히 있었다. 그의 표정은 슬퍼보였다. 오랜 친구였던 그의 마지막일 모습에 수진은 슬픔이 느껴졌다.

수진은 갑자기 자신의 감정이 통제가 되지 않는 것이 느껴졌다. 수진은 말 없이 에릭에게 덤벼들어 그의 목을 물었다.

"이게 무슨 짓이야?"
에릭은 화를 내며 수진을 밀쳐냈다. 하지만 수진은 더욱 집요하게 그의 목을 물려고 했다.
"너는 몇 살이지? 나약하고 어린 육체를 무기로 뱀파이어들은 사냥했던 것인가?"
에릭은 두려움을 느끼며 말했다.

수진은 아무 말 없이 심장 모양의 석상을 향해 걸어가서 그것을 두 손으로 들었다. 그리고 에릭에게 달려가서 머리를 가격했다. 에릭은 피를 흘리며 쓰러졌다. 그리고 수진은 그의 피를 마셨다. 더 이상 그의 몸은 움직이지 않았다. 그가 죽었다고 생각했을 때 갑자기 에릭의 다리가 움직였다. 수진은 움찔했다. 하지만 곧 그의 다리 신경만이 살아있다는 것을 알고 안도했다.

에릭의 피를 완전히 마신 후 수진은 커튼을 향해 걸어갔다. 그리고 커튼을 뜯어서 에릭의 시체 위에 올렸다. 수진은 주머니 속을 뒤져보았다. 라이터가 한 개 있었다. 수진은 라이터로 커튼에 불을 붙였다. 그리고 에릭의 집은 불길에 차올랐다.

텔레비전에서는 자신의 동료들이 괴로워하는 모습이 나오고 있었다. 곧 태양이 뜨고, 수진의 동료들은 불에 타올랐다. 욜란은 매우 고통스러워하다가 최후를 맞이했다.

수진은 불을 피해서 화장실로 갔다. 그리고 물을 틀었다. 그리고 벽에다가 물을 뿌렸다. 다행히 화장실에는 창문이 없었다. 태양이 들어오지 않는다. 수진은 그곳에서 잠을 잤다.

다시 밤이 왔다.

수진은 화장실 밖으로 나갔다. 에릭의 시체는 흔적도 남지 않고 사라졌다. 텔레비전은 여전히 작동하고 있었다. 수진에게 있어서 텔레비전은 최고의 흥밋거리이다. 텔레비전이 발명된 후 수진은 매일 텔레비전을 보았다.

"시간이 많이 지났어."
수진이 말했다. 수진은 갑자기 에릭이 보고 싶었다.
"그는 좋은 뱀파이어였어."
수진은 혼잣말을 했다.

그리고 갑자기 수진은 머리가 아파오는 것이 느껴졌다. 어쩌면 어젯밤 마신 알코올 때문일 것이다. 시간이 조금 흐르고, 경찰차의 사이렌 소리가 들려왔다. 수진은 자신이 무슨 짓을 했는지 깨달았다.

모든 것이 의미 없었다. 수진은 경찰관들에게 순순히 체포되었다. 그들은 수진을 폭력적으로 대했다. 그녀의 손목이 아플 정도로 수갑을 강하게 조였다. 그리고 수진을 끌고 경찰차로 갔다.

수진은 십자가에 매달렸다. 수진의 몸을 가시가 달린 쇠사슬로 묶었다. 그리고 손목과 발목에 못을 박았다.

"2000년 전이 생각나네요. 내가 신의 아들이라고 불리던 자의 마지

막을 보았어요. 나는 수천년을 산 뱀파이어에요. 그는 특별한 인간이었죠. 그는 신의 아들이라고 불리는 자였고, 결국 그는 십자가에 매달려 죽었어요. 그의 말에는 힘이 있었고, 평범한 인간이라고 볼 수 없었죠. 어쩌면 우리 뱀파이어보다도 더 강한 존재였을 지도 몰라요."

아무도 듣지 않았다. 모두들 수진의 이야기를 믿지 않았고, 관심도 없었다.

절대적인 외로움.

수진은 눈물을 흘렀다. 처절하게 울었다. 그리고 깨달았다.

모든 것에 의미가 없다는 것이다.

결국 수진은 웃었다.

도주
Great Escape
함가온해

1. 소개

나도 모르겠다. 언제부터 내가 그들의 꼭두각시가 되었는지. 무언가 잘못되어가고 있다는 생각은 항상 하였다. 그렇지만 이 정도로 모든 것이 예언되었다는 것은 알지 못하였다. 모두가 나를 보며 비웃고 있었고, 모두가 나를 보며 우월감을 느꼈다. 그리고 나는 알게 되었다. 나 또한 그들처럼 웃으리라. 모두가 나를 보며 비웃을 때 나는 웃기 시작했고, 어느새 나는 그들과 같은 부류의 사람이 되었다. 아무런 일도 벌어지지 않는다. 그 이유는 그들은 관람자이다. 나는 그들을 위해 행동하는 꼭두각시였지만 이제는 나 또한 관람자이다. 나는 세상 모든 것을 관람할 것이다. 잔혹한 범죄와 완전한 폭력을 구경하며 웃는 관람자가 되었다.

세상의 어느 자리는 높은 자들을 위해 마련되어 있다. 그리고 안타깝게도 나는 높은 자가 아니다. 높은 자들은 쉽게 모든 것을 얻는다. 그리고 나는 하나를 얻기 위해서라면 아주 절망적인 노력을 해야 하는 사람이었다. 오직 소수만이 높은 자리에 앉아 세상을 관람한다. 그리고 나는 피지배자였다. 그리고 어느 순간, 그가 내게 왔다.

그가 내게 제안했다. 새로운 인생을. 그리고 나는 받아들였다. 그리고 우리는 세상을 즐기기 시작했다. 그는 괴물이다. 그는 모든 것을 삼키고 싶어한다. 그는 당신의 육체를 찢어버리고 먹어치우기를 원한다. 그리고 나는 괴물이 원하는 대로 움직였다. 이것은 꼭두각시이자 피지배자였던 나의 과거보다는 나았다. 나는 이제 괴물이다. 그리고 피비린내 나는 범죄 현장에서 쾌락을 느끼는 싸이코 범죄자이다.

나는 결코 후회하지 않는다. 이것은 내가 생존하기 위한 방법이었다.
신을 무서워하냐고?
신은 결코 나를 돌아보지 않았다. 그리고 나는 신이 더 이상 두렵지 않다. 신은 그저 방관할 뿐이다. 그는 약자를 돕지 않는다. 신은 그저 구경꾼이다. 이 세상 높은 곳에 있는 그분들처럼.

그리고 당신에게 놀라운 사실을 전해주겠다. 이 글을 읽고 있는 당신은 이미 나의 공범이 되었으며 우리들의 인연은 영원할 것이다.

2. 시작

나는 피해자였지만 가해자다. 지금 이 현장이 그것을 증명한다. 내 앞에 있는 것은 이미 죽어 사체가 된 여자이다. 망치로 그녀의 머리를 깰 때 나는 엄청난 쾌락을 느꼈다. 그녀는 내게 계속 잘못했다고 말하며 빌었다. 그리고 나는 아무런 말도 하지 않고 수십번 그녀의 머리를 망치로 내려쳤다.

나는 그녀의 모습을 바라보았다. 날씬한 몸매에 예쁜 얼굴을 가진 그녀는 이제 모든 것을 잃었다. 목숨이 날아가면 모든 것을 잃는 것이지. 이제부터 진짜 문제가 시작되었다. 나는 수십 번의 살인을 한 후에 간이 너무 커져버렸다. 비록 이곳은 CCTV가 비추지 않고 있었고, 뒷골목이기는 하지만 주변은 사람들이 자주 다니는 길이다.

이제 선택지는 두 개 뿐이다. 이 현장에서 최대한 빨리 벗어나는 것 또는 그녀의 시체를 은닉하는 것이다. 문제는 지금 나는 즉흥적으로 일을 저질렀다는 것이다. 그래서 나는 이 자리에서 벗어나는 것이 제일 현명하다고 생각했다.

나는 주변에 세워둔 자동차로 걸어갔다. 그리고 길을 걸어가는 동안 만나는 사람들은 아무도 나를 수상하다고 여기지 않는지 나에게 어떠한 관심도 보이지 않았다. 자동차에 도착해서 나는 시동을 걸고 출발했다. 그리고 집으로 향했다. 그러던 중 어느 도로에서 경찰들이 순찰차를 세워놓고 검문을 하고 있었다.

그리고 경찰들은 내 차를 보자 나를 막았다.

"결국 악마로써의 삶이 끝나는 것인가?"

나도 모르게 혼잣말을 하고나서는 울음이 나올 것 같았다. 이제 내 인생은 끝이다.

"선생님."
경찰관이 운전석 옆으로 와서 말했다.
"네."
나는 모든 것을 각오했다. 이제 나는 교도소로 가서 죽는 날까지 나오지 못하겠지.
"난폭운전으로 신고가 들어왔습니다."
"예?"
너무 웃겼다. 내가 살인을 저질려서가 아닌 난폭운전으로 신고가 들어왔다니. 나는 너무 웃고 싶었지만 수상해보일까봐 짐짓 화난 척을 하고는 경찰 지시에 순응했고 나는 경찰에게서 벗어날 수 있었다.

1. 충동

#
수진은 심심했다. 때로는 무엇을 해야 할지 모를 것 같은 시간이 있었다. 지금이 수진에게 있어 그러한 시간이었다.

'자살'
'극단적인 선택'

수진은 인터넷으로 금기시되는 단어들을 검색했다. 아마도 수진은 지금 충동이 느껴지고 있는 것일지도 모르겠다.

#
진우는 컴퓨터 앞에 앉아서 게임을 했다. 요즘 유행하는 리그오브레전드라는 게임이었다. 진우는 자신이 시간을 낭비한다고 생각했다. 하지만 진우에게는 다른 목표가 없었다. 그저 이 지루한 시간이 지나가기만을 원할 뿐이었다.

진우의 부모님이 퇴근을 하려면 아직 몇 시간은 더 지나야 할 것이다. 진우는 공무원 시험을 준비한다고 말하고 매일 집에서 게임을 할 뿐이다.

진우는 극단적인 선택을 하고 싶다는 생각이 하루에도 수십 번도 더 들었다.

#
수진은 스마트폰으로 연락을 할 친구들을 찾아보았다. 하지만 마음

편하게 만날 수 있는 친구는 없었다. 수진의 연락처에 있는 사람들은 대부분 수진에게 흑심을 가지고 있는 남자들이었다. 수진은 그런 남자들을 이용하는데 재미를 느꼈다.

수진은 남자를 만나서 이것저것 사달라고 하면서 금전적인 이득을 취했다. 수진은 너무 심심했다. 그래서 자신의 연락처에 있는 사람들 중 제일 돈을 잘 쓰는 남자에게 연락했다. 그리고 그는 흔쾌히 수락했다. 수진은 그가 호구라고 생각하며 비웃었다.

#
진우는 오랜 만에 밖에 나가야겠다고 생각했다. 진우는 아파트에 살고 있었다. 경제적인 수준이 평범한 서민들이 거주하는 아파트에서 진우는 자신과 비슷한 사람들을 매일 보고 있었고, 이제는 그것이 염증으로 느껴질 정도로 지겨웠다.

진우는 하던 게임을 그만두고 대강 샤워를 하고 옷을 차려입고 밖으로 나갔다. 그리고 같은 층에 사는 한 여자를 보았다.

"수진아 안녕."
진우는 나름 반갑게 인사를 했다.
"응."
수진은 별로 진우를 상대하기 싫은 듯 보였다. 수진은 더 이상 말을 하지 않고 엘리베이터로 갔다. 진우는 속으로 약간 화가 났지만 티를 내지 않고 엘리베이터로 갔다.

"좀 비켜라."
수진이 진우에게 말했다. 진우는 내면에서 화가 차오름이 느껴졌다. 진우는 화를 낼까 고민을 하다가 아무것도 하지 않는 것을 선택했다.

수진은 엘리베이터를 탔고, 진우도 따라 탔다. 그리고 그들은 1층에 도착했다. 아파트 앞에는 한 남자가 수진을 기다리고 있었다.

"반가워요. 수진씨."
키가 크고 체격이 좋은 남자가 수진에게 인사를 했다.

그리고 수진은 웃으며 그 남자에게 달려갔다. 그 순간 진우는 이해하지 못할 것 같은 충동이 들었다. 어쩌면 열등감일지도 모르겠다. 진우는 남자와 수진에게 천천히 걸어갔다. 그리고 길 위에 있는 돌을 주워서 수진의 얼굴에 찍었다. 그리고 사람들이 비명을 지르고, 진우는 체격이 좋은 남자에게 제압당했다.

곧 경찰과 소방대원들이 도착했다. 진우는 경찰에게 끌려갔고, 소방대원들은 수진을 데리고 병원으로 갔다.

#
"왜 그랬어?"
진우의 눈 앞에는 노련해보이는 형사들이 앉아있다. 진우는 속으로 어떻게 해야 할지 고민을 했다. 하지만 방법이 없었다. 형사들은 진우를 흉악범 취급했고, 진우는 무슨 말을 해도 소용이 없다는 것을 느꼈다.

"말 좀 해봐. 자네가 돌로 찍은 그 여자는 병원에서 사망했어. 너는 이제 살인죄로 교도소에 가야해."
형사는 진우의 말을 듣고 싶어하는 것처럼 보였다. 하지만 진우는 너무 떨려서 아무런 말도 할 수가 없었다.

#
수진의 엄마는 딸의 주검을 보며 분노에 차올랐다. 딸을 이렇게 만든 사람은 같은 층에 살고 있는 공무원 시험 준비를 하는 남자였다. 수진의 엄마는 당장이라도 그 집에 가서 따지고 싶었다. 하지만 그 집은 지금 아무도 없을 것이다. 모두들 경찰서로 갔기 때문이다.

#
시간이 몇 달 흐르고, 진우는 법정에서 징역 20년을 받았다. 범죄 전력이 없는 초범이고 우발적이고 충동적으로 행동했던 점이 반영되어 다행히 무기징역은 피할 수 있었다. 그리고 범죄자들이 제일 두려워하는 신상 공개마저도 되지 않았다. 싸이코패스 성향이 없다는 점이 그 이유였다.

진우는 계속 생각했다. 어쩌다가 자신이 이렇게 된 것인지. 몇몇 재소자들은 진우에게 그 순간 귀신이 씌여서 그렇다고 했다. 그리고 누군가는 진우의 내면에 문제가 있을 것이라고 이야기했다.

교도소 생활은 정말 힘들었다. 진우는 하루 종일 자신이 수진에게 했던 행동에 대해 생각을 했다. 진우는 자신이 20년 동안 후회하게 될 것이라는 것을 직감했다.

#

20년이 흐르고 진우는 출소하게 되었다. 진우를 반겨주는 부모님은 많이 늙었다. 진우의 부모님은 진우를 태우고 집으로 갔다. 그들이 도착한 곳은 예전에 살던 아파트가 아니었다.

"그곳에서는 눈치가 보여서 살 수가 없었지."
진우의 엄마는 이렇게 설명했다. 진우 부모님의 새로운 집은 단독주택이었다. 진우는 그나마 잘 살고 계시는 부모님을 보면서 안도했다. 진우는 이제 새로운 삶을 꿈꾼다.

City of the Vampires
city of vampires
Gaonhae Ham’s collection of short stories

The past doesn't disappear. The present is a progression of the past. We all live without being able to escape from the past. Suffer in the past, find happiness in the past.

Some people think What is the meaning of life? What is my reason for existence?
He never gets an answer.

Vampires are unusual creatures. Defying the law that all living things die, they can live forever and have great strength and outstanding intelligence. Vampires existed above humans. And they continued their secret lives and constantly explored the world.

However, when vampires live to be about 300 years old, they choose to die. Vampires had unimaginable recovery abilities, so they could not face death in normal ways. They died under the sun.

One day, a vampire named Lorenzo turned hundreds of humans into vampires. Lorenzo had hundreds of vampires as his subordinates and waged war against other vampires. In the end, Lorenzo won. A small group of vampires suffered a crushing defeat from a large group of vampires.

The vampires followed new rules under Lorenzo. The rules are as follows:

Rules of the Vampires

1. Be loyal to Lorenzo
2. Do not betray Lorenzo by being deceived by the words of other vampires.
3. Do not impersonate Lorenzo's words and use them to your own advantage.
4. When drinking human blood, be sure to dispose of it so that it cannot come back to life.
5. Respect the vampire who created you.
6. Do not kill other vampires
7. Do not give your heart to the human opposite sex.
8. Do not take another vampire's property by force.
9. Do not lower the prestige of other vampires with lies.
10. Not to steal the victim chosen by another vampire.

It was a complicated rule. Now the vampires have formed one society. Before, it was rare for vampires to encounter each other, but now they live in each other's territory without doing anything against each other. And at the same time, hundreds of humans began dying as victims of vampires every night.

Eventually, humans learned of the existence of vampires. Fictional beings that appear in myths, legends, literature, and movies were real. Human society has been turned upside down. Lorenzo said that it was right for 'those who are close to gods to replace weak humans' to rule the world, and ordered all humans on Earth to be murdered and reborn as vampires.

As a result, the Earth was filled with vampires overnight. Eventually, human civilization completely disappeared from Earth and vampires became the new masters. This happened about a hundred years ago. Vampires flocked to areas on Earth where the sun shines the least. And they started enjoying everything. And the vampires called their city 'City of Vampires.' Outside the city, everything humans left behind was slowly disappearing. Animals that humans had driven out came back, and plants grew on the land that had been covered with concrete.

The city of vampires was now the only civilization that existed on Earth. Vampires living in the city began to live like humans. The problem of eating was solved by 'Dr. Robe' who developed artificial blood.

Vampires made money, bought houses, bought cars, and

behaved like humans. The vampires didn't want to go out of the city. The city was the world. Vampires wanted to work, make money, gain fame, and be socially recognized. They didn't want people interfering with their lives.

There were defective things in the city.

Such defective things committed crimes such as murder, arson, and assault. They were gradually eliminated by city police officers.

- Somewhere on the outskirts of the city

The sun had begun to rise, but the moon and stars were still faintly visible in the sky. A girl was standing in front of the police officers, keeping her distance. The child seemed embarrassed. She seemed so embarrassed and didn't know what to do. The girl was wearing a blue cloak and had a mysterious feel. There were corpses lying around, showing signs of a violent fight. Bodies were being loaded onto trucks, and those who weren't dead were covered in blood and handcuffed. Among them, a thin man with eerie eyes continued to scream. Then, a police officer hit him on the head with a baton and told him to be quiet.

"I will kill you!"
The man continued to scream. He was hit on the head with a club several more times. His name is 'Yolan'. He was leading an organization named 'Black'. He has always been a nuisance terrorizing the city, and now he is being humiliated by police officers with his hands handcuffed in a shabby manner.

This was his hiding place, and police officers were taking pictures. He wanted to tear down the police officers here right now. But the handcuffs on his neck made it impossible for him to even move his arms. All Yolan could do was scream.

The police officers pondered what to do with the girl. The little girl's figure was so fragile that no one thought to handcuff her. They discussed what to do with the girl. Anyway, the girl is also a vampire. She was a weak girl who appeared to be twelve years old, but she would still be a vampire at least a hundred years old.

“Let’s just leave it alone. “A body like that won’t be a threat to the city anyway.”
a police officer said. And everyone nodded and dragged Yolan and his gang away. In the end, the girl was left alone.

The girl felt empty. The emptiness made her hungry even more. She missed her days living with humans. She was able to live much more freely then than she does now. Like now, various regulations and surveillance were of no concern to vampires.

The girl walked towards the city. Tonight is the day I lost everything. Now I don't have any friends anymore. She became completely alone. Only the moon floating in the dark night sky has followed him throughout his life, and will continue to do so in the future. As she was walking down the street, she saw a man. He was very beautiful. Generally, vampires have beautiful and strong bodies, but he seemed stronger and more beautiful.

"hello."
The girl spoke to him.
"Who are you?"
“I'm Sujin.”

“So you’re of Asian descent?”
"that's right."
‘Sujin’ said she asked him if he had time. He said yes. Sujin asked him to spend time with her. He looked at Sujin with eyes full of anticipation.

“What is your name?”
Sujin asked.
“I am Sam Clanton.”
“Are you from England?”
"that's right."
He answered with a smile. At that moment, Sujin was hugged by the beautiful body of a vampire in front of her. And Sujin bit his neck. And he drank his blood. Sujin could see in his eyes that he wanted mercy. Sujin enjoyed those looks.

When Sujin completely drank his blood, what was in front of Sujin was no longer a beautiful vampire. It was dried and twisted leather. It is just leather that can no longer move and is in an ugly state. I could no longer feel beauty in him.

For the most part, human blood only satisfies thirst, with rare exceptions. However, vampire blood makes the vampire who drinks it stronger.

Long ago, humans were hunted. Now there are no more humans to hunt. That's why Sujin hunted vampires with Yolan. Vampires are much more difficult prey than humans. Much stronger and smarter. Hunting such vampires gave greater pleasure than hunting humans.

The stars and moon in the sky continued to shine on Sujin. Sujin continued walking toward the city. As he walked towards the city, he arrived at 'Raubi Street', the entertainment district of the city for vampires. From there, Sujin headed to the arcade. There were many vampires in the arcade. He made a fuss. A game machine caught Soojin's attention. Sujin walked over to the game and sat down. And I searched in his pockets. He didn't have any money. So I just stared at the game screen.

"hey."
A man approached Sujin and said.
"I do not have money? ruler. "Take it here."
He held out the money. Sujin looked at the money. It was so much money that he could have played the game five hundred times. Sujin took the money from him without saying anything. Then he got up and went to the coin changer and changed all the bills he had given me into coins. Sujin returned to the game machine, inserted coins, and started playing.

It is a game where you drive an airplane and attack enemies that attack the airplane. The level of difficulty was quite difficult. Less than a minute later, Sujin's plane crashed. Sujin sighed. All game consoles made when humans were masters of the Earth were put to rest. I could play the game for hours. Now the game consoles made by vampires were too difficult. Sujin put the coin back in and played the game. Still, the game console made by vampires was much more fun. It was much more realistic and required more thinking.

After the plane crashed several more times in the game, Sujin was no longer interested in the game. Sujin got up from the chair. And he went out of the arcade. Sujin walked down the street again. He didn't know where to go.

Someone followed Sujin from behind. It was the man who gave Sujin money earlier. He came up to Sujin and said.

“Do you have time now?”

Sujin nodded his head.
"What is your name?"
he asked.
“My name is Sujin.”
"ah! That's a pretty name. It has an oriental feel. It's unique. My name is Eric. “I was born in France.”
Eric said and held Sujin's hand. And he asked me to go to a bar. Sujin tilted his head.

I nodded. Eric walked ahead. As I walked through the noisy streets, I saw many vampires. Eric entered a bar that looked expensive. Sujin walked behind him and looked around the bar. It was crazy extravagance. The walls of the bar were made of gold.

"It must have cost a lot of money."
Sujin muttered softly.

A female vampire approached Eric and Sujin.
"How many people came?"
"There are two of us."
Eric said to the female vampire. The female vampire told her to follow him. As I followed her, I saw her door made of gold. She opened the door and inside there were chairs and a table made of gold. Eric and Sujin sat down. Eric looked at the menu for a moment and then said.

"Give me the strongest alcohol and artificial blood."
The female vampire said she understood and left her room. Soon, a female vampire brought a large tray of alcohol, cups, and artificial blood. She started putting it on her table. Sujin picked up her artificial blood first. Thirst disappeared. She poured the drink into a cup and drank it. It was a very strong drink and had some blood mixed in.

Sujin soon realized that she was drunk. He was dizzy. And I liked this feeling. Sujin continued to alternate between drinking her artificial blood and drinking alcohol.

"I am a lawyer."
Eric said. Eric looked like he wanted to brag. He then started talking about the newly purchased expensive car. Such a story

did not seem interesting to Sujin at all. Sujin continued to drink while roughly answering his words. Then, Sujin felt that it was difficult to move her body anymore. It was because he drank too much alcohol. Sujin said to Eric.

"I'm so tired. "Can I go to your house and sleep?"

Eric nodded his head. Eric saw that the clock on his wrist was approaching 5 AM.

"The sun will rise soon. "You can either stay here or go to my house."

"I want to go to your house. Eric."

Sujin said.

Sujin walked with Eric's help. His body couldn't move properly. My whole body felt paralyzed. There weren't many vampires to be seen on the road. The vampires returned home to escape the fearful sun. Eric's car was near the bar. As he said, the car looked very expensive. Sujin managed to sit in the passenger seat with Eric's help, and Eric came to the driver's seat and started the engine.

After leaving Lauby Street, many cars were constantly moving on the road. It was very different from the roads of the time when humans ruled the Earth. It was much more complicated. And thanks to the developed road facilities, cars were not pushed back at all. The sun was slowly starting to rise. The moon was gone, and the sky was gray.

Sujin felt afraid. However, Sujin felt a kind of pleasure. It felt like I could feel death. Sujin eventually arrived at Eric's house. As he entered Eric's house, he saw a red stone statue in the shape of a heart. Sujin continued to look at the stone statue.

“This is a living heart, right?”
Sujin eventually noticed and asked Eric.
"huh. There are vampires who sell their own hearts. Because it will play again anyway. “After their hearts are removed, a special process is performed to turn them into stone statues.”
"So beautiful. “I can see the heart beating inside the stone.”
Eric laughed. And he was proud of the fact that he had earned enough money to buy an ornament made from a vampire's heart.

Eric's house was very spacious. Plants of unusual shapes decorated the living room. There were also huge flowers. It was a genetically modified rose. Sujin slowly looked around the house. Eric felt satisfied that his wife was interested in his house.

Sujin watched TV in the living room.
<The evil deeds and crimes of a group of vampires calling themselves Black have come to an end. The group that was terrorizing the city was all arrested. They will meet their end today.>

The news channel announcer was explaining. I saw the images of my comrades nailed to the cross. They were chained to wooden crosses in the center of the city and had their hands hammered with nails. They screamed and struggled in pain. Yolan was also seen. He remained silent and said nothing. His expression looked sad. Sujin felt sad seeing her old friend's last days.

Sujin suddenly felt that her emotions were out of control. Without a word, Sujin pounced on Eric and bit his neck.

"What are you doing?"
Eric got angry and pushed Sujin away. But Sujin tried to bite his neck even more persistently.
"How old are you? "Did they hunt vampires using their weak, young bodies as weapons?"
Eric said with fear.

Without saying a word, Sujin walked towards the heart-shaped stone statue and held it with both hands. Then he ran towards Eric and hit him on the head. Eric collapsed, bleeding. And Sujin drank his blood. His body no longer moved. Just when we thought he was dead, Eric's legs suddenly moved. Sujin flinched. But he was soon relieved to discover that only the nerves in his legs survived.

After completely drinking Eric's blood, Sujin walked towards his curtain. Then he tore down the curtain and placed it over Eric's body. Sujin searched in his pockets. There was one lighter. Sujin lit the curtain on fire with a lighter. And Eric's house burst into flames.

Television showed his own colleagues suffering. Soon the sun rose, and Sujin's companions were set on fire. Yolan died in great pain.

Sujin escaped the fire and went to the bathroom. And he turned on the water. And he sprinkled water on the wall. Fortunately, there were no windows in the bathroom. The sun doesn't come in. Sujin slept there.

Night has come again.

Sujin went out of the bathroom. Eric's body disappeared without a trace. The television was still working. For Sujin, television is her greatest interest. After television was invented, Sujin watched television every day.

"A lot of time has passed."
Sujin said. Sujin suddenly missed Eric.
"He was a good vampire."
Sujin said to herself.

And suddenly Sujin felt that his head was hurting. Maybe it's the alcohol I drank last night. Some time passed, and the sound of a police car's siren was heard. Sujin realized what he had done.

Everything was meaningless. Sujin was arrested obediently by police officers. They treated Sujin violently. She tightened her handcuffs so hard that her wrists hurt. And she dragged Sujin to the police car.

She Sujin hung on her cross. She bound Sujin's body with thorny chains. She then drove nails into her wrists and ankles.

She said, "It reminds me of 2000 years ago. I have seen the last of the man who was called Jesus Christ. I am a vampire who has lived for thousands of years. Jesus Christ was a special human being. He was the so-called Son of God, and he eventually died on a cross. His words had power, and he could not be considered an ordinary human being. "Maybe he was stronger than vampires."

No one believed Sujin's story and was not interested.

Absolute loneliness.

Sujin shed tears. She cried desperately. And then she realized.

She says there is no meaning to everything.

In the end, Sujin smiled.

Getaway
Great Escape
Let's go together

1. Introduction

I do not know. Since when did I become their puppet? I always felt like something was going wrong. However, I did not know that everything was prophesied to this extent. Everyone was laughing at me, and everyone felt superior looking at me. And then I found out. I too will laugh like them. When everyone laughed at me, I started laughing, and before I knew it, I became the same person as them. Nothing happens. That's because they are spectators. I used to be a puppet acting for them, but now I too am a spectator. I will see everything in the world. I became a laughing spectator watching the brutal crimes and utter violence.

A certain place in the world is reserved for those who are high. And unfortunately, I am not a high person. High people get everything easily. And I was the type of person who had to make very desperate efforts to get one. Only a few people sit high and watch the world go by. And I was the ruled. And at some point, he came to me.

he suggested to me. A new life. And I accepted. And we

began to enjoy the world. he is a monster He wants to swallow everything. He wants to tear your body apart and eat it. And I moved as the monster wanted. This was better than my past as a puppet and subject. I am a monster now. And he is a psycho criminal who takes pleasure in bloody crime scenes.

I never regret it. This was my way to survive. Are you afraid of God?
God never looked back at me. And I am no longer afraid of God. God just stands by. He doesn't help the weak. God is just a spectator. Like those high up in this world.

And I'm going to tell you something surprising. As you read this, you have already become my accomplice, and our bond will be forever.

2. Start

I was a victim, but I am also a perpetrator. This scene now proves it. The thing in front of me is a woman who has already died and become a corpse. I felt immense pleasure when I cracked her head with a hammer. She kept begging me, telling me I was wrong. And without saying a word, I hit her head with the hammer dozens of times.

I looked at her. She, who had a slim body and a pretty face, has now lost everything. If her life is lost, everything is lost. Now the real problems began. After killing dozens of times, my liver grew too large.

Although this place was not covered by CCTV, and although it was a back alley, it was a street where people frequently walked.

Now there are only two options. Either get away from this scene as quickly as possible or hide her body. The problem is that now I am doing things on the spur of the moment. So I thought it would be wisest to get out of this situation.

I walked to the car parked nearby. And while I was walking down the street, no one I met showed any interest in me, as if they thought I was suspicious. When I got to the car, I started the engine and drove off. And headed home. Meanwhile, on a certain road, police officers stopped a patrol car and were conducting a check.

And when the police saw my car, they stopped me.

“Will my life as a devil eventually end?”
After talking to myself without realizing it, I felt like I was going to cry. Now my life is over.

"teacher."
A police officer came to the driver's side and spoke.
"yes."
I was prepared for everything. Now I will go to prison and not be able to get out until the day I die.
“There was a report of reckless driving.”
"yes?"
It was so funny. A report came in for reckless driving, not because I committed murder. I wanted to laugh so much, but I was afraid I would look suspicious, so I pretended to be angry and obeyed the police's instructions, and I was able to escape from the police.

1. impulse

#
Su-jin was bored. Sometimes there was a time when she felt like she didn't know what to do. This was such a time for Su-jin.

"Suicide."
"Extreme choice."

Su-jin searched for taboo words on the Internet. Maybe Su-jin is feeling the urge right now.

#
Jinwoo sat in front of the computer and played a game. It was a popular game called League of Legends. Jinwoo thought he was wasting his time. But Jinwoo had no other goal. I just wanted this boring time to pass.

Jinwoo's parents will still need a few more hours to get off work. Jinwoo says he is preparing for the civil service exam and just plays games at home every day.

Jinwoo felt like he wanted to make an extreme choice dozens of times a day.

#

Su-jin looked for friends to contact with on her smartphone. But she didn't have any friends she could meet comfortably. Most of the people in Su-jin's contacts were men who were friendly with her. Su-jin found it fun to use those men.

Su-jin met the man and made a financial gain by asking him to buy her this and that. Su-jin was so bored. So she contacted the best-spending man in her contact. And he gladly accepted. Su-jin laughed at him, thinking he was a pushover.

#

Jinwoo thought he should go outside after a long time. Jinwoo was living in an apartment. In an apartment where ordinary people live with economic standards, Jinwoo saw people who were similar to him every day, and now he was so bored that he felt it was annoying.

Jinwoo left the game he was playing, took a shower, dressed up, and went outside. Then I saw a woman living on the same floor.

"Hello, Soojin."
Jinwoo greeted me in a friendly way.
"Yes."
Su-jin seemed to hate dealing with Jin-woo. Su-jin went to the elevator without talking anymore. Jin-woo was a little angry inside, but he went to the elevator without making it obvious.

"Get out of my way."
Su-jin said to Jin-woo. Jin-woo felt an angry Cha Oh-reum from inside. Jin-woo thought about getting angry and chose not to do anything. Su-jin got in the elevator, and Jin-woo followed along. And they arrived on the first floor. In front of the apartment building, a man was waiting for Su-jin.

"Nice to meet you, Sujin."
A tall, well-built man greeted Su-jin.

Then, Su-jin laughed and ran to the man. At that moment, Jin-woo had an urge to not understand. Maybe, he felt inferior. Jin-woo slowly walked to the man and Su-jin. Then, he picked up a stone on the street and photographed it on Su-jin's face. Then, people screamed, and Jin-woo was subdued by a man with a good physique.

Soon, police and firefighters arrived. Jin-woo was taken away by police, and firefighters took Su-jin to a hospital.

#
"Why did you do that?"
In front of Jinwoo's eyes, there are seasoned-looking detectives sitting. Jinwoo thought inside about what to do. But there was no way. The detectives treated Jinwoo like a felon, and Jinwoo felt that it was no use saying anything.

"Say something. The woman you stoned died in hospital. You should go to jail now for murder."
The detective seemed to want to hear what Jin-woo said. But Jin-woo was so nervous that he couldn't say anything.

#
Su-jin's mother got angry when she saw her daughter's body. It was a man who was preparing for the civil service examination, living on the same floor, that made her like this. Su-jin's mother wanted to go to the house right away and argue. But there will be no one in the house right now. Everyone went to the police station.

#
Over time, Jin-woo received 20 years in prison in court. Fortunately, life imprisonment was avoided, reflecting the fact that he was a first-time criminal with no criminal history and acted accidentally and impulsively. And even the personal information that criminals fear most was not disclosed. The reason was that there was no psychopathic tendency.

Jinwoo kept thinking, "How did he become like this?" Some inmates said it was because Jinwoo was haunted at the moment. And someone said there must be something wrong inside Jinwoo.

Prison life was really tough. Jin-woo thought about what he did to Su-jin all day long. Jin-woo felt he was going to regret it for 20 years.

#

Twenty years passed and Jinwoo was released from prison. Jinwoo's parents, who welcomed him, got very old. Jinwoo's parents took Jinwoo home. The place where they arrived was not the apartment they used to live in.

"I couldn't live there because I was scared.."
Jinwoo's mom explained this. Jinwoo's parents' new home was a detached house. Jinwoo was relieved to see his parents living well. Jinwoo now dreams of a new life.